Momo,
petit prince
des Bleuets

tempo

Couverture illustrée par Beatrice Alemagna

ISBN : 978-2-74-851262-5
© Syros/VUEF, 2003
© 2006, 2012 Éditions SYROS, Sejer,
25, avenue Pierre-de-Coubertin, 75013 Paris

Yaël Hassan

Momo, petit prince des Bleuets

SYROS

«Il y a beaucoup de gens dans la salle, mais on ne les sent pas. Ils sont dans les livres. Quelquefois ils bougent entre les feuillets, comme des hommes qui dorment, et se retournent entre deux rêves. Ah! qu'il fait bon être parmi des hommes qui lisent! Pourquoi ne sont-ils pas toujours ainsi? Vous pouvez aller à l'un et le frôler: il ne sentira rien.»

Rilke, *Les Cahiers de Malte Laurids Brigge*

1

La vie n'est pas drôle tous les jours pour Momo de la cité des Bleuets. D'abord, les bleuets, il les a cherchés partout, Momo, mais jamais ne les a trouvés. Ni bleuets, ni arbres, ni bosquets, d'ailleurs.

Et si on appelle «pelouse» le grand rectangle de terre caillouteuse où les enfants jouent au foot, c'est uniquement pour rire, bien sûr.

À la cité des Bleuets, où la vie n'est pas drôle tous les jours et où il n'y a même pas de bleuets, Momo, forcément, s'ennuie ferme. Normal! C'est l'été. Et il n'y a strictement rien à faire l'été dans une cité sans fleurs, sans arbres et sans jardins. Il y a bien quelques coquelicots qui poussent çà et là le long de la voie ferrée toute proche, mais Momo n'a pas le droit d'aller par là-bas. Fatima, sa grande sœur, le lui a interdit. Alors, tout au long des longues journées de cet interminable été, Momo ne fait rien d'autre que de traîner dehors, plutôt du côté de la butte qui se trouve tout au bout de la cité et où personne ne va jamais. S'il préfère traîner dehors, c'est parce que, chez lui, il trouve qu'il y a bien assez de monde qui y traîne déjà. Sa mère et Fatima travaillent, mais son père, lui, reste toute la journée à jouer aux cartes avec Boubakar et Mamadou, ses copains. Il ne peut plus travailler, son père, depuis qu'il est tombé d'un échafaudage. C'était juste avant la naissance de Momo. Ça fait donc bientôt onze ans. Il était tombé de l'échafaudage directement dans le coma. Quand il s'était réveillé, il avait perdu sa mémoire et son travail aussi.

En plus de son père et de ses amis, il y a Ahmed, le grand frère. Il a un an de moins que Fatima mais c'est lui qui commande à la maison, quand la mère n'est pas là. Parce que quand la mère est là, il ne commande rien du tout, Ahmed. Momo aussi commande parfois, mais seulement quand il est tout seul. Ahmed, il se prend pour le chef alors qu'il ne travaille même pas. Il pourrait pourtant, vu qu'il l'a eu, son CAP de boulanger-pâtissier! Même qu'elle était drôlement fière, la mère, d'avoir un fils boulanger-pâtissier, le premier de la famille! Mais Ahmed n'arrivait jamais à se lever le matin. La mère criait et lui, il continuait à dormir. Alors il était toujours en retard et son patron l'a renvoyé. Depuis, il ne se lève plus jamais. Et puis même quand il se lève, il préfère rester couché sur son lit à fumer des cigarettes qui sentent mauvais.

Entre Fatima, la sœur aînée, Ahmed, qui vient juste après, et Momo, il y a encore Yasmina, et Rachid et Rachida, les jumeaux. Ce qui fait qu'ils sont huit à la maison, dix même, avec Mamadou et Boubakar qui font comme partie de la famille. Faut dire que les pauvres ils vivent dans un foyer *Sonacotra*. «C'est tout, sauf un foyer», dit la mère de Momo en soupirant. Si elle soupire souvent, sa mère, c'est qu'elle a de bonnes raisons pour le faire car la vie n'est vraiment pas drôle tous les jours…

Dix, ça fait beaucoup de monde…

Alors, chez lui, Momo, parfois, il étouffe.

Pour respirer, il va traîner dehors, même si dehors, souvent, il étouffe aussi.

Pour respirer, il va donc jusqu'à la butte, au bout de la cité.

Là-bas, au moins, il y a un arbuste. Un banc aussi. Il s'y allonge, ferme les yeux et part sur son île déserte. Sur son île à lui, on n'entend que le bruit de la mer, que le chant des oiseaux. Sur son île à lui poussent des milliers de bleuets. Des bleuets rouges, des bleuets verts, des bleuets jaunes et même des bleuets bleus, pourquoi pas? Momo sait bien que son île n'existe pas en vrai, qu'elle n'existe que derrière ses yeux fermés. Mais au moins, pour partir là-bas, il n'a besoin de la permission de personne, et surtout pas de celle d'Ahmed qui se prend pour le chef, filant des claques pour un oui, pour un non, pour rien, pour tout.

L'été commence à peine et Momo pense que ce sera le plus long été de sa vie. Quand l'été sera presque terminé, Momo retournera à l'école, enfin au collège maintenant, vu qu'il entre en sixième. Il ne l'a jamais dit à personne, mais Momo aime l'école. Il voudrait même y aller toute l'année, les samedis et les dimanches aussi.

Et voilà qu'un matin débarque aux Bleuets la directrice de l'école primaire. Quand elle arrive sur l'esplanade, toute la cité se met aux fenêtres pour la voir, et un cortège se forme derrière elle pour l'accompagner là où elle va.

Et là où elle va, c'est chez lui, justement, chez Momo.

Heureusement, c'est un samedi matin et sa mère est donc à la maison.

Quand elle ouvre la porte, la mère essaie de ne pas faire la grimace. C'est qu'elle la connaît bien, madame la directrice de l'école primaire des Bleuets. C'est souvent qu'elle y avait été convoquée, à l'école, pour Yasmina, Rachid et Rachida. Mais jamais pour Fatima ni pour Momo.

Et puis, surtout, jamais elle ne vient à la cité, madame la directrice. D'habitude, elle convoque les parents à l'école!

– Qu'est-ce qu'elle fiche là, la dirlo? s'écrie Ahmed, que l'événement a réussi à faire sortir de sa chambre et qui n'en rate pas une pour être désagréable.

– File dans ta chambre, *fissa*! lui réplique la mère.

– Madame Beldaraoui, dit alors madame la directrice, j'ai à vous parler. Puis-je entrer?

Elle parle joli, madame la directrice.

– Mais bien sûr! Viens par là, madame, dans ma *cousine*, répond la mère. Nous serons tranquilles pour causer.

– Fatima n'est pas là? déplore madame la directrice.

– Eh non! C'est samedi et le samedi Fatima elle est du matin à l'Hyper. Elle travaille dur, Fatima, tu sais, madame la directrice? Très très dur!

Et la mère hoche longuement la tête avec un air triste accroché à son visage parce que la vie n'est pas drôle tous les jours…

– Je sais, madame Beldaraoui, mais si je suis venue vous voir aujourd'hui, c'est pour vous parler de votre fils, Mohammed.

C'est comme ça qu'elle dit, madame la directrice, Mohammed. Jamais Momo.

Elle continue:

– Je ne voudrais pas que les choses se passent pour lui de la même façon qu'avec Fatima. Je sais que vous auriez bien voulu qu'elle poursuive ses études d'infirmière ainsi qu'elle le désirait tant. Je sais aussi que votre situation financière ne le permettait pas. Soit!

La mère soupire une nouvelle fois. Elle se mouche, aussi.

– Mohammed est un enfant extrêmement doué. Il faut absolument que vous lui laissiez la possibilité de faire des études. Pas seulement jusqu'à seize ans, madame Beldaraoui, mais bien au-delà, comprenez-vous? Il en a les capacités.

– Mais Momo, il est encore petit! Il entre juste en sixième!

– Je sais, mais il faut que vous l'encouragiez dans ce sens. Un enfant a besoin d'encouragements pour réussir. Promettez-moi de le faire, madame Beldaraoui, et moi aussi je tâcherai de l'aider! Nous lui demanderons une bourse d'études. Dommage que Fatima ne soit pas là. J'aurais bien aimé lui parler. Je suis sûre qu'elle fera de son mieux pour aider le petit. Dites-lui que je suis passée et rapportez-lui notre conversation, s'il vous plaît. Mohammed n'est pas là non plus?

Momo s'est caché dès que la mère a fait entrer madame la directrice. Dans les toilettes, il attend le cœur battant, craignant le pire.

Et si elle était venue dire qu'il ne passerait pas en sixième? Momo a si peur qu'il ferme les yeux et part aussitôt pour son île.

– Momo! Momo!

C'est sa mère qui l'appelle.

Il lui faut revenir sur terre et surtout sortir des toilettes pour les rejoindre à la cuisine.

– Bonjour, Mohammed, fait la directrice en lui tendant la main. Je suis venue parler de ton avenir à ta maman. Tiens, je t'ai apporté une liste de livres que j'aimerais que tu lises cet été, avant ton entrée en sixième. Ce sont de très beaux livres. Je suis sûre qu'ils te plairont!

Après lui avoir donné sa liste, madame la directrice prend congé.

Le soir, à table, alors que la mère raconte à Fatima la visite de madame la directrice, Ahmed dit:

– Et où c'est qu'on va les prendre, ses livres, à l'autre? On va les voler?

– Ne dis pas de conneries, Ahmed! s'énerve Fatima. Les bibliothèques, ça existe et c'est pas fait pour les chiens! En plus, c'est gratuit! J'y emmènerai le petit pour l'inscrire.

Et pendant que sa mère continue de raconter la visite de madame la directrice, Momo, tout fier, bombe le torse. D'accord, elle en rajoute un peu, mais ça lui fait tant plaisir d'avoir un Momo génie. Fatima, déjà, était une très bonne élève. Elle aurait pu faire infirmière si elle n'avait pas été une fille, et l'aînée, qui plus est. Et voilà que Momo fait encore plus fort. Il est l'honneur de la famille. Et c'est pas infirmière qu'il fera mais carrément docteur, ou avocat, ou juge pour enfants ou chirurgien. C'est madame la directrice de l'école primaire elle-même qui l'a dit.

2

Momo attend donc que Fatima l'emmène s'inscrire à la bibliothèque, dès qu'elle en aura le temps!

S'il le pouvait, il irait tout seul, mais ni sa mère, ni Fatima, ni Ahmed ne lui permettent de sortir de la cité.

Alors, il a demandé à Yasmina qui lui a répondu qu'elle n'avait pas que ça à faire.

Quant à Rachid et Rachida, les jumeaux, ils lui ont carrément ri au nez en chantant:

– Momo, l'intello! Momo, l'intello!

Quelques jours plus tard, Yasmina, voyant Momo errer tristement toute la journée dans la cité, a soudain pitié de son petit frère.

– Viens, je t'y emmène, à la bibliothèque! lui dit-elle.

Momo se met à gambader de joie et court chercher sa liste dans sa chambre.

– Alors, tu viens? s'impatiente Yasmina au bout d'un moment.

Momo resurgit, le teint blême et des larmes plein les yeux.

– Ma liste! Je trouve plus ma liste. Je l'avais rangée dans la chambre. Elle y est plus!

– Momo, l'intello! Momo, l'intello! chantonnent en chœur les jumeaux en jetant des confettis.

– Oh là là! Mais ils ne sont pas possibles, ces deux-là! s'écrie-t-elle, rouge de colère. Jamais vous en avez marre de faire des bêtises? Je vais le dire à maman. Vous avez intérêt à ce que cette liste soit recollée ce soir, quand on rentre, sinon gare à vos fesses! Viens, Momo, on y va quand même pour t'inscrire!

– C'est pas trop grave, intervient Momo qui a déjà pardonné aux jumeaux. Je l'avais apprise par cœur.

Tous les deux, main dans la main, traversent maintenant l'esplanade puis prennent au vol le bus qui arrive. Ils descendent au centre-ville. Là, ils remontent l'avenue du Général-de-Gaulle puis bifurquent à gauche, dans une petite rue tranquille bordée d'arbres. Yasmina montre à Momo un grand et vieux bâtiment où il est écrit *Bibliothèque municipale*. Intimidés, ils franchissent le porche et suivent la flèche *Accueil*. Derrière un bureau, une dame tapote sur un ordinateur. Elle est très concentrée. Les enfants attendent qu'elle ait fini de se concentrer. Comme ça dure longtemps, Yasmina toussote. La dame sursaute, ôte ses lunettes, tourne la tête, leur adresse un regard clignotant et demande :

– C'est pour quoi, les enfants ?

– Je voudrais inscrire mon petit frère à la bibliothèque, s'il vous plaît, madame, répond Yasmina poliment.

– Très bien ! fait la dame, qui semble assez contente même si les enfants l'ont dérangée dans son travail.

« Il faut toujours être poli avec les gens, pense Momo. Ça les rend gentils. »

Mais la dame dit encore :

– Avez-vous les papiers nécessaires ?

Momo n'aime pas ce mot-là, « papiers ». C'est un mot qui fait soupirer sa mère qui dit que c'est un mot inventé spécialement pour embêter les immigrés. En tout cas, à la cité, c'est un mot qui empêche les gens de vivre tranquillement. Enfin, surtout les « sans-papiers ». Mais même ceux qui ont les bons papiers au bon moment, ils ont tout de même peur quand on leur dit « papiers ». C'est comme ça !

Momo sent donc un frisson lui parcourir le corps. Les papiers ? De quels papiers parle-t-elle ? Sans doute de la liste de madame la directrice qui s'est transformée en confettis.

– Je les ai plus, parvient-il à articuler. C'est les jumeaux qui en ont fait des confettis !

– Des confettis ? s'étonne la dame en fronçant les sourcils.

– C'est quels papiers qu'il faut, s'il vous plaît, madame ? demande Yasmina toujours poliment.

– Deux photos, un justificatif de domicile et un chèque de dix euros de caution.

Momo soupire, mais de soulagement cette fois. Ce ne sont pas des papiers impossibles à avoir, ceux-là.

– Je savais pas qu'il fallait tout ça! dit Yasmina. Fatima nous a dit que c'était gratuit, la bibliothèque.

– C'est gratuit! Mais il me faut quand même des papiers. Le chèque, c'est juste une caution. Ramenez-moi tout ça et j'inscris votre petit frère!

Momo et Yasmina remercient la dame et sortent de la bibliothèque aussi déçus l'un que l'autre. Yasmina s'arrête pour réfléchir.

Après avoir réfléchi, elle ouvre son sac, sort son porte-monnaie et regarde combien d'argent elle a dedans.

– Bon! dit-elle. On file à l'Hyper!

Quand Fatima les voit arriver, elle fronce les sourcils.

– Qu'est-ce que vous fichez là? Je ne veux pas que vous veniez me déranger au travail!

– Je sais, répond Yasmina, mais j'ai été pour inscrire Momo à la bibliothèque et il faut deux photos, un justif' de domicile et un chèque de dix euros. J'ai pas d'argent pour les photos et j'ai pas le reste non plus. Alors, qu'est-ce que je fais, moi?

Fatima sourit à sa sœur. De son sac, elle sort son chéquier, une quittance EDF qu'elle vient de payer et quelques pièces pour le Photomaton.

– Voilà! Achetez-vous une glace avec la monnaie! leur dit-elle, plus fâchée du tout.

Momo reste très sérieux pour faire la photo. On ne va pas à la bibliothèque pour rigoler. La glace, il n'en veut pas. On ne va pas à la bibliothèque la bouche sale et les doigts collants.

– Ah! J'allais fermer, leur dit la dame en les voyant revenir tous les deux essoufflés et ruisselants de sueur.

– S'il vous plaît, madame! supplie Yasmina. On habite là-bas, à la cité. On a tous les papiers et l'argent et les photos. Inscrivez-le maintenant! S'il vous plaît!

La dame soupire en jetant un œil à la grande horloge.

– Bon, vite fait alors! Donne-moi les papiers!

Yasmina donne tout à la dame qui se met à tapoter sur son ordinateur.

– Tu t'appelles comment?

– Mohammed Beldaraoui, répond Yasmina en articulant pour que la dame comprenne bien le nom.

Et la dame tapote en disant lentement :

– Mohammed Beldaoui.

– Beldaraoui, rectifie Yasmina. R A O U I.

– Très bien, fait la dame. Voilà, tu es inscrit, Mohammed Beldaraoui ! Et voici ta carte ! Prends-en soin. Il te la faudra à chaque fois que tu voudras emprunter un livre.

Momo examine sa carte. Son prénom, son nom et sa photo, tout est bien.

– Sache que tu n'auras pas à venir jusqu'ici pour prendre des livres, poursuit la dame. Notre bibliobus passe tous les mercredis après-midi à la cité des Bleuets. C'est Souad qui s'en occupe.

Momo sent une bouffée de bonheur l'envahir.

– Alors, quels livres veux-tu prendre aujourd'hui ?

– *Le Petit Prince*, de Saint-Exupéry, répond Momo sans aucune hésitation.

C'est le premier livre de la liste de madame la directrice.

– Très bien, répète la dame qui trouve tout très bien. Je vais aller te le chercher au rayon jeunesse.

Pendant que la dame disparaît dans une allée bordée de longues rangées de rayonnages métalliques remplis de livres, Momo regarde autour de lui. Alignés comme des soldats sur des étagères courant le long des murs, des centaines de livres attendent là, patiemment, leurs lecteurs. «Un jour, je les aurai tous lus», pense Momo émerveillé. La dame revient, tenant en main un petit livre blanc. Elle tapote encore quelque chose sur son ordinateur, glisse le livre dans un sac en plastique et, le tendant à Momo, lui dit qu'il a trois semaines pour le lire. La gorge de Momo se serre. Trois semaines, ça fait beaucoup trop de temps. S'il veut lire tous les livres de la liste de madame la directrice, il n'y arrivera jamais à ce rythme-là!

Devant sa mine inquiète, la dame s'informe.

– Tu crois que cela ne te suffira pas?

– Oh si! C'est beaucoup, beaucoup trop! J'en ai plein d'autres à lire!

La dame rit.

– Mais si tu l'as fini, tu peux le rendre avant. Tu n'es pas obligé d'attendre les trois semaines pour en reprendre un autre. Tu peux même en prendre deux à la fois, si tu le désires.

Momo, soulagé et reconnaissant, sourit.

– Merci beaucoup, madame.

La dame lui rend son sourire. «Charmant, ce petit garçon, pense-t-elle. Je n'en ai guère vu d'aussi polis et bien élevés, venus des Bleuets. Dommage qu'ils ne soient pas tous comme celui-ci!»

Les gens se font souvent des idées fausses sur les gens qu'ils ne connaissent pas. Mais Yasmina et Momo, qui ne lisent pas dans les pensées, trouvent qu'elle est bien gentille, la dame, avec eux, ce qui n'est pas toujours le cas. On n'aime pas trop les gens des Bleuets, en ville.

3

Le soir, avant de s'endormir, Momo glisse son livre sous son oreiller, discrètement, afin que Rachid, dont il partage la chambre, ne le voie pas.

Le lendemain matin, il se lève de bonne heure, prend son petit déjeuner avec Fatima et sa mère, puis s'éclipse, laissant le reste de la maison endormie.

Le matin est encore frais, l'air empli de rosée.

Arrivé à la butte, Momo doit essuyer le banc humide avec son mouchoir. Puis il pose son sweat et s'assied dessus pour ne pas avoir froid aux fesses. Il sort le livre de son sac en plastique. Sur la couverture blanche est dessiné un petit bon-homme aux cheveux jaunes, tout de vert vêtu, avec un nœud papillon rouge, les mains dans les poches, debout sur une sorte de grosse pierre où poussent quelques fleurs. «Dans sa cité à lui, il a au moins des fleurs», pense Momo. Il ne voit pas le petit mouton dessiné en haut, à gauche, juste au-dessus du nom de l'auteur, Antoine de Saint-Exupéry. Il ne regarde que le petit garçon avec son drôle de nœud papillon qui fait un peu ringard.

Après avoir longuement observé le petit prince – parce que c'est lui, le petit prince, ça, Momo, il en est sûr, il n'y a que les princes et les princesses qui ont les cheveux jaunes –, Momo feuillette le livre jusqu'à ce qu'il arrive au grand 1. Souvent, les livres commencent ainsi, par un grand 1. Parfois, ils commencent aussi par un titre. Momo aime mieux, mais le grand 1 ne le dérange pas trop. Il lit ensuite chaque page, lentement, pour bien les comprendre toutes. Il examine chacun des dessins aussi, qu'il aime beaucoup. De temps en temps, il fait une pause pour réfléchir à ce qu'il vient de lire. Puis, reprenant sa lecture, il arrive à la fin du livre. Il soupire de bonheur. Il a beaucoup aimé tous les gens qui sont dans ce livre. Il lève la tête vers le ciel et constate que le soleil est à présent de l'autre côté de la butte, ce qui veut dire qu'il doit déjà être au moins deux heures de l'après-midi. Affolé, il range son livre dans le sac en plastique, noue son sweat autour de sa taille et se met à courir à toutes jambes vers la maison.

Là, c'est un Ahmed drôlement furieux qui l'attend.

– Mais d'où c'est que tu sors ? hurle-t-il.

– J'ai traîné, j'ai pas vu l'heure, répond Momo.

– T'as traîné ! Comme ça ! Et t'as même pas pensé à manger ?

– Non, je m'excuse, murmure Momo en retenant ses larmes.

– File à la cuisine, Yasmina va te réchauffer ton repas !

Yasmina prend Momo par la main et l'entraîne vers la cuisine.

– Tu lisais ?

– Oui. Oh ! Yasmina. C'est trop beau ! C'est si beau que ça m'a fait mal là.

Momo pose la main sur son cœur.

– Raconte-moi !

– C'est l'histoire d'un prince qui vient du ciel, d'une autre planète qu'il a quittée à cause d'une fleur parce qu'il l'aimait trop. Alors, il est parti sur d'autres planètes et puis il est arrivé sur la Terre. Là, il a rencontré un pilote en panne d'avion qui lui a dessiné un mouton dans le désert parce qu'il voulait pas être pilote mais dessinateur et qu'il n'a pas pu car les grandes personnes ne comprennent rien et sont parfois très bizarres. Et le renard lui a dit qu'on ne voit bien qu'avec le cœur parce que l'essentiel est invisible pour les yeux.

– Il est nul ton bouquin ! J'y comprends rien, Momo ! s'exclame Yasmina qui n'aime que les histoires d'amour qui se terminent bien, les magazines et les horoscopes. Et à la fin, il l'épouse, sa fleur ?

– Je sais pas, fait Momo en soupirant. Il le dit pas. Mais je crois pas.

Puis il pense que les princes n'épousent pas les fleurs et que finalement c'est très triste comme livre, *Le Petit Prince*.

La dernière bouchée à peine avalée, Momo, profitant de l'absence des jumeaux, va dans sa chambre pour réfléchir. En fait, ils ont plein de points communs, le petit prince et lui, sauf que lui, Momo, il n'a pas de planète à lui ; il n'habite pas sur une étoile mais à la cité des Bleuets où il n'y a même pas de bleuets et où il n'est pas un prince. Le petit prince, lui, il a une rose, et même avec un mauvais caractère, Momo aurait bien aimé avoir son bleuet. «J'aimerais bien être un petit prince, moi aussi. Mais j'ai pas la tête qu'il faut pour ça», se dit-il.

Ce soir-là, Fatima arrive avec un grand sac de l'Hyper.

– Tiens, c'est pour toi! dit-elle à Momo en le lui tendant. C'est pour la rentrée des classes.

Bien évidemment, Ahmed ne peut s'empêcher de faire la grimace.

– Et d'où c'est que t'as pris le fric?

– Ça ne te regarde pas! répond Fatima avec des éclairs de fureur dans les yeux. C'est mon argent, celui que j'ai économisé pour Momo en travaillant. Toi, tu n'es même pas fichu de gagner un centime!

Ahmed veut continuer à crier mais un regard de la mère l'arrête net. Il tourne les talons et part dans sa chambre en haussant les épaules.

Au beau milieu de la cuisine, Fatima, Yasmina, Momo et la mère sortent une à une les affaires du grand sac en poussant de joyeux «oh!» et «ah!». Il y a là tout ce qu'il faut pour la sixième et même un nouveau pantalon et une belle chemise à carreaux.

Tout au fond du sac, il y a encore un autre paquet. Un paquet-cadeau avec une grosse fleur en ruban doré. Momo ouvre le paquet sans rien déchirer. Il en sort un livre. *Vendredi ou la vie sauvage*, de Michel Tournier. C'est le livre numéro deux de la liste de madame la directrice. Les yeux de Momo s'emplissent de larmes et il se jette au cou de Fatima.

– Ils sont graves! dit Rachida à Rachid.

– Ouais, tu l'as dit, réplique Rachid. Trop graves!

Sur la page de garde de son nouveau livre, Momo inscrit, de sa plus belle écriture, son nom et son prénom. En dessous, il écrit un grand 1, comme dans les livres, sauf que pour lui, ça veut dire autre chose.

«Un jour, j'en aurai autant que dans la bibliothèque municipale», pense-t-il en s'endormant vite pour être déjà demain.

4

Le lendemain matin, Momo repart pour la butte, son nouveau livre sous le bras, se jurant cette fois qu'il fera bien attention à l'heure.

Mais en arrivant, il voit que quelqu'un d'autre s'y trouve déjà. Sur son banc, en plus! Momo regarde autour de lui. Il n'y a pas d'autre banc. Il le sait bien, en fait, qu'il n'y en a pas d'autre, mais il se dit que peut-être, parfois, il y a des bancs qui poussent la nuit. Ce n'est pourtant pas le cas. Il regarde l'intrus. C'est un vieux monsieur, avec un chapeau de paille et des cheveux blancs en queue de cheval. Un qui n'est pas de la cité. Sans doute qu'il s'est perdu là et ne sait plus rentrer chez lui. Momo respire un bon coup et va s'asseoir à l'autre bout du banc. Après tout, les bancs sont faits pour s'y asseoir à plusieurs. Le vieux monsieur lit un livre et ne le regarde même pas. Momo, qui connaît la politesse, lui dit «Bonjour, monsieur» avant de s'asseoir à côté de lui, mais le vieil homme ne lui répond pas. Momo ne lui en veut pas. Il sait ce que c'est que d'être absorbé dans la lecture d'un bouquin. On en oublie souvent que le monde continue à tourner autour de soi. Momo ouvre son livre. C'est l'histoire de Robinson qui échoue sur une île déserte à la suite d'un naufrage. Momo compare son île à celle de Robinson. Il préfère la sienne avec ses champs de bleuets multicolores. Sur l'île de Robinson, il y a un bouc. Robinson l'assomme. Momo pense qu'il a eu tort et aurait dû essayer plutôt de l'apprivoiser comme le renard du petit prince. Peut-être que le bouc n'attendait que cela, en fait, d'être apprivoisé. Tout en lisant, Momo surveille le soleil du coin de l'œil. Faudrait pas qu'il monte trop vite, celui-là, car Momo n'a pas encore envie de rentrer à la maison. Le vieux monsieur, qui n'a rien fait d'autre jusqu'à présent que de tourner les pages de son livre, toussote soudain. Momo pose le doigt sur le mot qu'il est en train de lire pour ne pas le perdre et regarde le vieil homme.

– Excuse-moi, jeune homme, mais je n'avais pas remarqué ta présence à mes côtés!

– C'est pas grave, moi aussi ça m'arrive!

– Et que lis-tu?

– Le deuxième livre, répond Momo, *Vendredi ou la vie sauvage*.

– Ah? fait le vieil homme, et pourquoi l'appelles-tu le deuxième livre?

– Parce que le premier c'était *Le Petit Prince*.

– Et que sera le troisième?

– *Les Deux Moitiés de l'amitié*, précise Momo, qui pense qu'il a rudement bien fait d'apprendre sa liste par cœur.

– Tu es un grand lecteur! remarque le vieil homme en hochant la tête comme si cela lui faisait énormément plaisir.

Puis, se levant, soulevant son chapeau d'un geste théâtral et s'inclinant légèrement devant Momo, il dit:

– Monsieur Édouard, ancien instituteur à la retraite, pour vous servir, jeune homme!

Et monsieur Édouard tend sa main blanche tavelée à Momo qui se lève à son tour.

– Momo des Bleuets! dit-il.

– Enchanté, jeune Momo des Bleuets! Que faisons-nous à présent? demande alors monsieur Édouard en se rasseyant et faisant signe à Momo d'en faire de même.

– J'sais pas, m'sieu, fait Momo.

– Parlons littérature, veux-tu?

Momo ne répond pas. Il ne sait pas trop ce que ça veut dire, «littérature».

– Allons-y, poursuit monsieur Édouard. Commençons donc par *Le Petit Prince*. T'es-tu identifié au petit prince?

– Identifié?

– En lisant ce livre, poursuit patiemment monsieur Édouard, vu que c'est un ancien instituteur qui doit avoir l'habitude qu'on ne comprenne pas tous ses mots, t'es-tu senti proche du petit prince? En d'autres termes, t'es-tu pris pour lui?

– Oh, non! s'exclame vivement Momo. C'est pas possible, ça! Je n'ai pas du tout la tête qu'il faut! T'en as déjà vu, toi, monsieur Édouard, des petits garçons comme moi avec un nœud papillon et qui ont des têtes de petit prince?

– Parfaitement, mon jeune ami! J'en connais des tas de princes qui ont une tête semblable à la tienne! La couleur des cheveux n'a rien à voir avec la royauté!

– Vraiment? demande Momo, ébloui.

– Oui, vraiment! confirme monsieur Édouard. Ne connais-tu pas le roi Fayçal d'Arabie, l'émir du Koweït, le roi de Jordanie? Tiens, il y en a même un qui porte ton prénom, dis donc! Le roi Mohammed du Maroc!

Qu'il y ait un roi qui porte son nom en entier, Mohammed, ça c'est vraiment trop fort!

– Il n'y a donc plus le moindre obstacle à ce que tu deviennes prince! Prépare-toi, Momo, nous allons immédiatement procéder à ton sacre! proclame alors monsieur Édouard.

Il ôte son chapeau, son veston, retrousse les manches de sa chemise et, armé de sa canne et d'un Opinel sorti de sa poche, décapite quelques branchages de la haie bien fournie qui marque la limite entre la cité et le reste du monde.

– De ceux-ci, dit-il à Momo, nous tresserons ta couronne.

Aussitôt dit, aussitôt fait! De ses doigts habiles d'ancien instituteur à la retraite, monsieur Édouard tresse en quelques instants la même couronne que celle que portait Jules César dans *Astérix le Gaulois*. Ensuite, dans une grosse branche dénudée, il sculpte une sorte de canne retroussée au bout, presque semblable à la sienne, qu'il tend à Momo en disant :

– Et voilà ton sceptre ! Nous sommes prêts ! Mets un genou en terre et baisse la tête !

Momo s'exécute sans broncher.

Monsieur Édouard remet son veston, son chapeau et, du bout de sa canne, il effleure chacune des épaules de Momo en proclamant bien fort :

– Moi, Édouard, ancien instituteur de la République à la retraite, je te fais, toi, Momo, petit prince des Bleuets !

Il lui dépose alors sa couronne tressée sur la tête et lui dit encore :

– Relevez-vous, Altesse, et que vos volontés soient faites désormais ! Je suis votre grand chambellan et humble serviteur !

Momo est scié ! Jamais il n'a vu de Français plus ouf que celui-là !

5

À l'approche de midi, le grand chambellan sort de la poche de son veston une grosse montre en or attachée à une chaîne.

Déçu par le temps qui court toujours si vite, il annonce à Momo :

– Il est l'heure de nous sustenter, Votre Altesse Sérénissime. Regagnez votre palais tandis que, si vous le permettez, j'irai rejoindre les communs pour un frugal repas avec les domestiques !

Sur ce, monsieur Édouard s'incline en faisant de grands ronds dans l'air avec son chapeau et disparaît de l'autre côté de la butte, celui qui donne sur la résidence des Belles Feuilles. Momo n'a même pas eu le temps de lui demander s'ils se reverraient. Il reste là, assis sur son banc, ne sachant plus si tout cela s'est réellement passé ou s'il l'a rêvé. Parce que souvent il confond ce qu'il fait pour de faux sur son île et ce qu'il fait pour de vrai en vrai. Mais là, il n'a pas rêvé puisqu'il porte sur sa tête sa couronne de prince et tient encore à la main son sceptre sculpté.

Momo se dit qu'il vaut mieux qu'il rentre à présent. Il ôte sa couronne et rejoint la cité. Pendant que Yasmina lui sert son déjeuner, Momo est songeur. Il pense à son drôle de nouvel ami, qu'il a bien l'intention de courir retrouver, son repas terminé.

Mais monsieur Édouard ne revient pas. Momo, qui a emporté sa couronne et son sceptre en plus de son livre, est déçu. Il se plonge alors dans *Vendredi ou la vie sauvage* et découvre ce qu'est la vie sur une île déserte. Il sait, à présent, que le poisson-hérisson contient dans son ventre un liquide rouge qui peut servir d'encre, il sait aussi comment construire une maison en troncs de palmiers et en roseaux, fabriquer une horloge à eau et plein d'autres choses très utiles en cas de naufrage sur une île déserte. Quand Momo finit son livre, le soleil est de l'autre côté de la butte. Monsieur Édouard n'a pas reparu. C'est alors que Momo se souvient que le mercredi est le jour du bibliobus. Il prend ses jambes à son cou et arrive sur l'esplanade juste au moment où Souad s'apprête à baisser le rideau métallique.

– Bonjour Mohammed, lui dit-elle en lui adressant un sourire de fleur, je t'attendais! Tu as tardé! C'est la responsable de la bibliothèque qui m'a parlé de toi.

– Je m'excuse, bredouille Mohammed, paralysé par le fait que la fleur connaisse son nom en entier. Je lisais.

– Parfait! approuve Souad. Alors, quels livres veux-tu prendre?

– *Les Deux Moitiés de l'amitié* et *Mon ami Frédéric*, dit Momo, qui connaît sa liste par cœur et dans l'ordre.

– Très bon choix! fait Souad. Et tu as de la chance car je les ai tous les deux en rayon!

Et tandis que Souad écrit sur le registre, Momo regarde le livre posé à côté d'elle. «*La Vie devant soi*», lit-il dans sa tête. Souad a suivi le regard de Momo.

– Tiens, c'est drôle! remarque-t-elle. Le héros de ce livre-là s'appelle Mohammed, comme toi, et tout le monde l'appelle Momo.

Momo écarquille les yeux. Le voilà non seulement prince mais aussi héros de roman! Quand monsieur Édouard le saura, il sera trop content! Enfin, s'il revient…

– Je veux bien ce livre-là aussi, dit-il alors à Souad.

Mais elle fait la grimace.

– J'ai peur que ce soit un peu difficile pour toi. Ce n'est pas vraiment un livre pour enfants. Tiens, regarde!

Souad lui tend son livre pour qu'il en lise la première page car elle sait que si les premiers mots d'un livre ne plaisent pas aux enfants, alors ils n'ont plus envie de lire la suite. Ce qui est normal car si les premiers mots ne plaisent pas, il n'y a aucune raison que les autres soient mieux. Momo lit donc la première page et il les aime tous. Il les aime même tant qu'il ne peut s'empêcher de lire aussi la deuxième et la troisième page. Et voilà ce qu'il lit, Momo, dans ce livre: *Je m'appelle Mohammed mais tout le monde m'appelle Momo pour faire plus petit.*

Ça c'est trop fort! Jamais il n'aurait pensé, Momo, qu'on parlerait de lui dans un livre.

«Depuis que j'ai rencontré monsieur Édouard, il m'arrive plein de choses magiques!» constate-t-il, ravi.

De plus, l'histoire se passe dans un endroit qui s'appelle Belleville, où il y a des juifs, des Arabes et des Noirs, comme aux Bleuets.

– Il me plaît beaucoup, affirme Momo en redonnant le livre à Souad.

– Dans ce cas, je te l'offre! C'est mon livre, mais ça me fait plaisir de te le donner. Je vais t'écrire un petit mot dessus pour que tu te rappelles que c'est moi qui te l'ai offert, lui dit-elle, comme si Momo pouvait l'oublier.

Souad lui écrit: *Pour Momo, avec toutes mes amitiés, Souad.*

Arrivé chez lui, Momo trace sur son livre un grand 2.

Comme tous les matins depuis qu'il est inscrit à la bibliothèque, Momo se lève tôt, déjeune avec Fatima et la mère, et part à la butte ses bouquins sous le bras.

Il a obtenu de Fatima la permission de ne pas rentrer pour manger le midi parce que ça lui fait perdre beaucoup de temps pour lire ses livres. Fatima a accepté et lui fait deux sandwichs qu'elle enveloppe dans du papier argenté et qu'elle met dans son sac à dos, avec des fruits et une bouteille d'eau.

Momo est heureux. Il part en sifflotant.

Il n'y a personne à la butte. Momo sort de son sac le livre que Souad lui a donné. Il est un peu embêté que ce livre-là ne soit pas sur la liste mais il a envie de le lire tout de suite à cause de l'autre Momo. Il est à peine plongé dans sa lecture que surgit monsieur Édouard.

– Et que lit Son Excellence, aujourd'hui ? demande-t-il à Momo en s'inclinant devant lui, ce qui le fait grimacer un peu vu son âge assez vieux.

– *La Vie devant soi*, répond Momo, très heureux de le revoir.

– Ah ! fait monsieur Édouard, Romain-Gary-Émile-Ajar !

C'est le nom de l'auteur de son livre. Momo est émerveillé du savoir de son ami.

– En voilà un écrivain! Un grand, un vrai! Connaissez-vous, Votre Altesse, la vie incroyable de cet homme-là?

Momo secoue la tête.

– Je vous la raconterai plus tard. Nous avons un programme chargé, ce matin. Les affaires de la principauté ne peuvent attendre! La première tâche d'un nouveau prince est de faire des réformes qui soient bonnes pour le peuple. Il le faut pour être aimé de vos sujets. Rangez donc votre livre et voyons un peu ce qu'il est urgent d'entreprendre!

Momo et monsieur Édouard dressent ensemble la liste des réformes urgentes à apporter à la cité. Planter des fleurs, des arbres, des arbustes, transformer la pelouse sans pelouse en vraie pelouse avec pelouse et nettoyer tous les murs couverts de tags et de graffitis. Voilà les priorités du prince Momo. Son grand chambellan a pris note de tout cela dans son cahier.

– Nous nous mettrons au travail dès demain! déclare alors monsieur Édouard.

Il n'est que dix heures mais Momo a faim. Alors il sort de son sac son casse-croûte, qu'il partage avec monsieur Édouard. Tout en mangeant, monsieur Édouard lui raconte la vie de ce Romain-Gary-Émile-Ajar qui a écrit le livre.

Momo l'écoute, émerveillé.

6

Le soir même, alors qu'il aide Fatima et sa mère à éplucher des pommes de terre, Momo ne peut s'empêcher de leur raconter à son tour l'histoire de Romain Gary.

– C'était même pas un Français! C'était un immigré, plus que nous, encore, parce que lui, il n'était même pas né en France!

– Pourtant, Romain Gary, c'est pas un nom d'immigré, remarque Fatima, soupçonneuse.

– Oui, parce que c'est pas son vrai nom! Son vrai nom, c'est Roman Kacew. Il a changé de nom pour devenir moins immigré. Et sa mère, quand il est né, elle savait déjà qu'il allait devenir écrivain car elle l'a appelé Roman comme un roman!

Il avait quatorze ans quand il a quitté son pays avec sa maman parce qu'il n'avait pas de père. Et quand ils sont arrivés en France, sa mère lui a dit : « Tu seras un grand écrivain français, mon fils ! »

La mère, émue aux larmes, s'essuie les mains sur son tablier et, pinçant très fort et en même temps les deux joues de Momo, elle lui dit :

– Toi aussi, mon fils, tu seras un grand écrivain français !

Puis elle le presse sur son cœur et elle ajoute :

– Mais jamais tu changeras ton nom, mon fils ! Tu seras toujours Momo Beldaraoui, sinon comment mes copines elles sauront que t'es mon fils ?

Momo est obligé de se dégager de force pour continuer son histoire.

Les joues en feu, il reprend :

– Mais avant de devenir écrivain, il a été aviateur, comme le type dans le désert du petit prince. Pendant la guerre, il bombardait le jour, et la nuit il écrivait des très beaux livres pour que sa maman soit fière de lui. Puis il est devenu ambassadeur et a voyagé dans le monde entier. Mais un jour, il en a eu marre d'écrire des beaux livres sérieux, parce qu'il avait de l'humour aussi. Alors, il a encore changé de nom et s'est appelé Émile Ajar. Comme ça il a pu écrire d'autres livres très drôles et personne n'a deviné que c'était lui. Jusqu'à ce qu'il soit mort par suicide.

– Pourquoi s'est-il suicidé? demande Fatima.

– À cause d'une femme, je crois, répond Momo en soupirant, mais je suis pas sûr.

– Écoute-moi, mon fils! intervient la mère. Toi aussi tu seras un grand écrivain français, mais jamais tu changes de nom et jamais tu te suicides! Tu promets à ta mère?

– Et d'où tu sais tout ça? interroge Fatima, admirative.

Momo hésite un instant. Il ne sait pas trop pourquoi, mais il ne tient pas à parler de monsieur Édouard, son ami secret. Alors, il ment un petit peu et dit que c'est Souad du bibliobus qui le lui a raconté. Parce que c'est vrai que ç'aurait pu être Souad, donc ce n'est pas un trop gros mensonge.

Momo a demandé à Fatima de lui doubler son casse-croûte pour le lendemain, vu que monsieur Édouard et lui ont tout fini à dix heures. Il lui a aussi demandé si elle pouvait lui mettre des rillettes au lieu du thon car monsieur Édouard préfère les rillettes, mais là, il aurait mieux fait de se taire car c'est rouge de colère que Fatima lui a dit:

— Et pourquoi pas du jambon, tant que tu y es?

Momo ne savait pas que les rillettes, c'était du porc. Les musulmans ne mangent pas de porc parce que c'est hallouf. Les juifs non plus, d'ailleurs, mais eux, c'est parce que c'est pas casher. Chacun a ses raisons! Mais comme monsieur Édouard n'est ni musulman, ni juif, il a parfaitement le droit d'en manger.

Cette fois, monsieur Édouard est arrivé avant lui.

Il lit sur leur banc. En voyant Momo, il sort tout de suite de son livre parce qu'il ne lisait que d'un œil. De l'autre, il attendait Momo.

— J'ai une idée pour les murs de votre palais, Majesté. Seulement, il nous faut agir avec une extrême prudence. Les ennemis sont nombreux. Aussi, voilà comment nous allons procéder.

Monsieur Édouard se penche alors vers Momo et lui parle dans le creux de l'oreille. Puis ils se lèvent tous deux et Momo emmène son grand chambellan à la découverte de sa principauté. Il n'est que neuf heures du matin et la plupart des gens dorment encore. Momo lui montre l'allée des Myosotis et ses murs si gris et si sales qu'ils donnent envie de pleurer, l'allée des Primevères, aux boîtes aux lettres défoncées, et l'allée des Crocus, la plus triste et la plus sale de toutes car le soleil n'y parvient jamais.

– Bien! fait monsieur Édouard à Momo. Nous avons du pain sur la planche. Soyez au rendez-vous, Votre Altesse, et j'y serai également avec mes amis!

Momo ramène monsieur Édouard à la butte. Ils ont traversé toute la cité sans être vus. Ils attaquent alors leur casse-croûte de dix heures. Momo s'excuse pour les rillettes. Mais monsieur Édouard lui dit qu'il aime bien le thon aussi. Leurs sandwichs terminés, monsieur Édouard et Momo se replongent chacun dans son livre.

– Un prince doit également consacrer du temps à son instruction, lui a dit monsieur Édouard.

Momo est tout à fait d'accord.

Momo sait que, dès midi, monsieur Édouard se sauvera sans au revoir ni explication. Il en a l'habitude maintenant. Pourtant, aujourd'hui, alors que la grosse montre en or attachée à la chaîne a déjà donné le signal, monsieur Édouard ne bouge pas. Momo se dit que, peut-être, il a oublié la vraie vie dans son livre, et toussote pour le ramener sur la terre. Comme il ne bouge pas davantage, Momo le secoue un peu:

– Monsieur Édouard, monsieur Édouard, il est midi! C'est l'heure de vous sustenter.

Momo fait très attention à sa manière de parler quand il est avec monsieur Édouard. Il ne veut pas le décevoir. C'est que monsieur Édouard parle encore plus joli que madame la directrice de l'école des Bleuets.

– Je sais, Votre Altesse, mais quel jour sommes-nous, aujourd'hui?

– Euh, vendredi, je crois, répond Momo.

– Parfaitement! Et Votre Altesse n'est pas sans savoir que le vendredi, c'est le jour du poisson-lentilles! Donc, je préfère m'abstenir.

– Ah! fait Momo, qui, même s'il n'a jamais mangé du poisson-lentilles, se dit que rien que le nom de ce plat est une vraie bonne raison de ne pas rentrer.

Momo est heureux car, pour la première fois, il va pouvoir passer tout l'après-midi avec son ami. Mais soudain, des voix se font entendre de l'autre côté de la butte. Des voix qui viennent et s'approchent. L'une d'elles dit :

– Va voir par là-bas ! Moi je cherche par ici.

Monsieur Édouard s'est levé, l'air affolé.

– J'ai à me cacher d'urgence, Majesté ! Faites diversion ! Pendant que je contourne la butte, envoyez-les vers la cité ! Et n'oubliez pas notre rendez-vous de cette nuit !

Et tandis que monsieur Édouard contourne la butte, Momo, désemparé, se met à siffloter sur son banc, ne sachant pas s'il fait diversion ou pas.

– Eh, gamin ! lui lance alors un homme grand et fort qui porte une blouse blanche. T'aurais pas vu un vieux cinglé traîner par ici ?

– Oui, m'sieu ! répond Momo, qui trouve ce type très désagréable. Il est parti vers la cité.

– Eh, viens ici ! crie-t-il à l'intention de son acolyte. Le vioc est repéré.

Momo a envie de se boucher les oreilles. Il refuse qu'on appelle monsieur Édouard « le vioc » ou « vieux cinglé ». Il déteste ces mots.

– Eh, m'sieu! Pourquoi vous le cherchez? demande Momo pour donner du temps à son ami.

– Il s'est sauvé des Belles Feuilles! Un vrai passe-muraille, celui-là. On a beau l'enfermer et le surveiller, il trouve toujours un moyen de s'enfuir. Si ça continue, on va le remettre à sa famille.

Tandis que les deux hommes s'éloignent, Momo est bouleversé par le sort qui attend monsieur Édouard. Alors, n'écoutant que son cœur et bravant les recommandations de Fatima et les interdictions d'Ahmed, Momo franchit le seuil interdit, celui des limites de la cité, et passe de l'autre côté de la butte.

Il se retrouve dans une petite rue calme et tranquille, ombragée de vrais et beaux grands arbres. *Rue des Belles Feuilles* indique une plaque qui, elle au moins, dit la vérité. Momo longe un mur, bientôt remplacé par une haie serrée. Il suit la haie et arrive devant une large entrée en forme d'arche. *Résidence des Belles Feuilles, maison de retraite,* lit-il sur le panneau. «Ainsi, c'est là qu'il habite, monsieur Édouard», pense Momo, déchiré. On l'a abandonné là, dans cet hôpital.

Dans *La Vie devant soi*, madame Rosa refusait d'aller à l'hôpital car elle voulait bénéficier du droit sacré des peuples à disposer d'eux-mêmes. Ce doit être pareil pour monsieur Édouard. Momo sent les larmes lui couler le long des joues. Il faut qu'il sorte monsieur Édouard de là.

Il n'a plus envie de lire pour aujourd'hui. Il rentre chez lui.

Et il demande à Ahmed :

– C'est quoi, une maison de retraite ?

– C'est un asile pour les viocs, répond Ahmed.

7

Momo s'est couché tout habillé. Il a peur de manquer son rendez-vous avec monsieur Édouard. Alors, il essaie de rester éveillé en regardant les aiguilles de la montre avancer lentement.

À une heure moins cinq, il sort de son lit, prend ses chaussures à la main, traverse le salon sur la pointe des pieds, s'assure qu'il a sa clef, referme la porte de l'entrée tout doucement derrière lui, enfile ses chaussures et descend dans le noir, le cœur en émoi.

Il se faufile ainsi jusqu'à l'allée des Crocus. Et là, monsieur Édouard et ses amis l'attendent, serrés les uns contre les autres, effarouchés et silencieux, tenant chacun dans ses mains un pot de peinture, des rouleaux et des pinceaux.

Momo pousse un gros soupir de soulagement. Il avait tellement peur de ne plus jamais revoir monsieur Édouard!

– Voilà, Votre Altesse, vos ouvriers! lui dit son ami comme si absolument rien ne s'était passé.

Et tous les amis de monsieur Édouard s'inclinent devant le petit prince.

– Au travail! ordonne monsieur Édouard.

En quelques instants à peine, telle une nuée de fourmis sur un sucre, tout ce petit monde s'agite sans faire le moindre bruit. Ça badigeonne, ça barbouille, ça peint dans tous les sens et, alors que le jour se lève doucement derrière la cité endormie, le mur triste, gris et sale des Bleuets se recouvre peu à peu du plus merveilleux des champs de crocus jaunes et blancs sur fond vert.

Le lendemain matin, Momo fait la grasse matinée. Il s'est couché si tard! Mais il est réveillé par un brouhaha inhabituel venu de l'extérieur. Momo jette un œil par la fenêtre et voit un attroupement. Il enfile son jogging à la hâte et rejoint la foule en extase devant la façade de l'allée des Crocus. Momo cligne des yeux tant le mur semble inondé de lumière. Les commentaires vont bon train. «Mais qui a fait ça?» se demande tout le monde. Momo se tait. Il sait garder un secret. «Personne ne saura jamais qui a repeint le mur des Crocus», pense-t-il.

Aussitôt, devant cette façade si belle que les résidents des autres bâtiments la jalousent déjà, naît l'envie d'en faire autant dans toute la cité. Et voilà que tous, grands et petits, s'y mettent. On répare, on peint, on rénove, on nettoie, on sème, on plante et, en moins d'un mois, la cité offre un nouveau visage. Et pour fêter la fin des travaux, l'ensemble des habitants des Bleuets organisent un grand banquet en plein air où chacun goûte aux spécialités culinaires de son voisin. La rénovation de la cité des Bleuets par les habitants eux-mêmes a fait tant de bruit en ville que le maire en personne s'est déplacé, suivi de toute sa clique et de la presse locale. Il a même fait un discours pour complimenter ces hommes, ces femmes, ces jeunes et ces enfants courageux dont l'esprit civique devrait être un exemple pour tous. Il parle, il parle, bombe le torse, prend des poses, tant et si bien qu'on finit par avoir l'impression que c'est lui et lui seul qui, de ses petits bras musclés, a rénové la cité. Et tandis que Momo sent la moutarde lui monter au nez, les gens l'écoutent et l'applaudissent.

Plus tard, lorsqu'il raconte à monsieur Édouard le déroulement de la cérémonie, il laisse exploser sa colère.

– Il faut avoir le triomphe modeste, Votre Altesse. Sachez que la gloire est éphémère et que la grandeur se mesure à la simplicité. Laissez-le donc pérorer, ce monsieur! Nul n'est dupe.

Momo, grâce au petit prince, sait ce que «éphémère» veut dire.

Monsieur Édouard parle parfois si bien que même Momo, qui sait pourtant de plus en plus de mots nouveaux, ne le comprend pas toujours. Il aime beaucoup écouter monsieur Édouard parler. Il voudrait tellement parler comme ça un jour, lui aussi. «Mais sans doute que ce n'est pas possible», se dit-il. Pourtant, depuis qu'il connaît monsieur Édouard, plein de choses qui lui paraissaient impossibles sont devenues tout à fait possibles. Monsieur Édouard dit souvent qu'impossible n'est pas français et si c'est monsieur Édouard qui le dit, c'est donc que c'est vrai. Alors, qui sait, peut-être que Momo parlera comme ça, lui aussi, un jour? Aussi bien que Romain Gary dans le livre *La Vie devant soi,* avec plein de mots qui disent exactement ce qu'ils veulent dire. Souad s'est trompée en disant que ce n'était pas un livre facile. C'est ce qu'il lui explique, un mercredi. Car Momo ne manque plus jamais le passage du bibliobus et de Souad.

Et Souad rit de toutes ses petites dents blanches en écoutant les explications et les commentaires de Momo sur ses lectures. Elle l'appelle son petit poète du mercredi et Momo se dit que le voilà non seulement prince, non seulement héros de roman, mais poète par-dessus le marché! Peut-être que monsieur Édouard, c'est un magicien?

Il pense aussi que c'est très agréable d'être différent dans les yeux de l'autre, que le renard avait raison en disant que l'on ne voit bien qu'avec le cœur parce que l'essentiel est invisible pour les yeux, parce que jamais les yeux de personne ne verront que lui, Momo, est prince et poète, mais que seuls les cœurs de Souad et de monsieur Édouard l'ont vu.

Depuis quelques jours, Momo a un gros chagrin. Ça fait une semaine entière qu'il n'a pas revu monsieur Édouard. Il l'a attendu en vain à la butte, mais il n'est pas venu. Souad voit bien que Momo n'est pas dans son assiette, ce mercredi-là. Ils sont devenus très amis, tous les deux, et Momo est sûr que même si c'est une fille, elle peut garder un secret. Alors, il lui parle de monsieur Édouard et de l'asile de viocs, comme dit son frère Ahmed, où il est enfermé. Mais Souad sourit et lui explique :

– La résidence des Belles Feuilles n'est pas un asile de viocs ! C'est une maison de retraite pour les personnes âgées. Ce n'est ni un hôpital, ni un asile. Les personnes âgées sont souvent malades et il arrive que leurs familles ne puissent plus s'en occuper. Alors, elles les mettent dans des maisons de retraite avec d'autres personnes de leur âge et des médecins et des infirmières pour veiller sur leur santé.

– C'est pas juste! crie Momo. Les vieux, c'est pas comme les chiens qu'on abandonne attachés à un arbre quand on n'en veut plus, comme dit madame Rosa, et même que chaque année, il y a des milliers de chiens qui meurent, privés d'affection. Les vieux ont besoin d'affection, sinon ils meurent attachés aux arbres comme les chiens!

Et Momo éclate en sanglots. Souad le prend alors dans ses bras et le berce tout doucement en lui chuchotant des mots de consolation dans l'oreille.

– Monsieur Édouard est mon ami et c'est important, un ami, dit Momo, enfin apaisé. Le renard dit que depuis qu'il n'y a plus de marchands d'amis, les hommes n'ont plus d'amis, poursuit-il en pensant à l'autre petit prince qui, lui, n'a pas la chance d'avoir une Souad pour le consoler quand il a du chagrin.

Souad comprend tout ce que dit et ressent Momo. Il n'a pas besoin de lui donner des tas d'explications comme il doit le faire avec Fatima ou Yasmina. Parce que Souad a lu tous les livres du bibliobus, comme monsieur Édouard.

Heureusement, monsieur Édouard est revenu dès le lendemain. Montés sur le banc, Momo et son ami admirent la cité des Bleuets qui porte si bien son nom à présent. Car monsieur Édouard, après avoir dévalisé l'atelier de peinture des Belles Feuilles, s'est attaqué à la cabane du jardinier et a rapporté des dizaines de petits paquets de graines de bleuets que Momo et lui ont semées au vent. Et les bleuets ont émergé de partout, ajoutant aux couleurs de la cité des milliers de petites taches bleues. Monsieur Édouard, qui sait tant de choses, a révélé à Momo la légende du bleuet.

– On dit que c'est Allah qui a créé le bleuet pour qu'il étouffe le champ d'un homme riche et puissant qu'il tenait à punir pour son avarice. Vous voyez, Votre Altesse ? Vous êtes le légitime petit prince des Bleuets. C'est Allah lui-même qui vous en a fait don !

À présent que Momo sait que les bleuets sont un don d'Allah, il ne peut s'empêcher de ressentir un délicieux pincement au cœur chaque fois que son regard se pose sur les fleurettes.

Momo n'ose pas poser à son ami les questions qui lui torturent l'esprit. Il craint de le vexer ou de lui faire de la peine. Monsieur Édouard n'en parle jamais, mais ses escapades sont de plus en plus espacées. Lorsqu'il n'est pas au rendez-vous, Momo a pris l'habitude de rôder autour de la résidence des Belles Feuilles, espérant l'apercevoir dans l'immense parc où se promènent les pensionnaires. Mais il finit par se faire repérer et le gardien le chasse dès qu'il l'aperçoit.

Chaque fois que monsieur Édouard réapparaît, il fait comme s'ils s'étaient quittés la veille. Ils reprennent alors leurs lectures et leurs grandes discussions. Un jour, monsieur Édouard arrive avec un petit échiquier de voyage.

– Il faut impérativement que Votre Altesse apprenne à jouer aux échecs! lui dit-il. Tous les rois et tous les princes du monde jouent aux échecs!

Momo ne sait pas, mais il veut apprendre. Le jeu est difficile mais Momo est intelligent et monsieur Édouard, comme sans doute tous les anciens instituteurs à la retraite, infiniment patient. Peu à peu, Momo se passionne pour ce jeu de réflexion où s'opposent les rois, les reines, les fous et les cavaliers. Momo devient très fort aux échecs et il voit tout de suite les erreurs de stratégie de monsieur Édouard. Mais il ne lui dit jamais, parce qu'il sait à présent qu'il faut avoir le triomphe modeste, parce que la gloire est éphémère et que la grandeur se mesure à la simplicité.

8

Momo, qui, tout au début de l'été, avait cru que celui-ci serait le plus long de sa vie, voit les jours défiler bien trop vite à présent.

Le mois d'août est entamé et, bientôt, il devra aller au collège et abandonner son ami. Il ne peut se faire à cette idée. Si lui aussi l'abandonne, Momo craint que monsieur Édouard se laisse mourir. Momo voudrait bien l'emmener dans une cave et le cacher dans un trou juif, comme l'autre Momo a caché madame Rosa dans *La Vie devant soi*, mais monsieur Édouard n'est pas juif, lui, et Momo ne sait pas où il pourrait cacher son ami. De plus, Momo doit absolument aller en sixième pour devenir écrivain français, et avec les devoirs et tout ça, il n'aura pas le temps de s'occuper de monsieur Édouard, qu'il voit d'ailleurs de moins en moins souvent, parce qu'il vieillit tous les jours et qu'il n'arrive plus à se sauver aussi facilement qu'avant. Souad a raconté à Momo que la nuit où l'allée des Crocus a été peinte par des inconnus, tout un groupe de la résidence des Belles Feuilles avait fait une fugue et tous les pots de peinture de l'atelier avaient disparu. C'est une amie dont la sœur travaille à la maison de retraite qui le lui a raconté. Mais personne n'en parle parce que le directeur l'a interdit.

— C'est vrai que ça fait plutôt désordre, un groupe de petits vieux qui se sauvent la nuit de leur maison de retraite pour aller jouer les Picasso dans les cités! dit-elle en riant de toutes ses dents.

Momo n'a rien dit. Il ne veut pas trahir son ami. Mais il sait que Souad a deviné et ça ne lui fait pas peur parce que Souad ne raconte pas ses secrets.

Le soir, Momo pense à ce que Souad lui a dit. Elle a une amie dont la sœur travaille aux Belles Feuilles! Ce qui veut dire que Souad peut avoir des nouvelles de monsieur Édouard. Mais comment la trouver avant mercredi prochain? Il ne connaît pas son adresse, ni même son nom en entier! Pourtant, il faut absolument qu'il la trouve de toute urgence. Momo n'arrive pas à s'endormir. Il essaie de réfléchir mais aucune bonne idée ne lui vient à l'esprit. Il continue de réfléchir et se dit qu'il finira bien par trouver une solution. C'est alors que l'idée vient. Toute petite d'abord, puis plus précise. Momo retient son souffle. Il attend qu'elle soit bien nette avant de la saisir. Ça y est! L'idée lui dit qu'il doit téléphoner à la dame de la bibliothèque pour demander où il peut trouver Souad avant mercredi prochain. Momo se demande alors comment il va trouver le numéro de téléphone de la bibliothèque. Mais comme il a une excellente mémoire, il se souvient que le numéro est inscrit sur sa carte de membre. Momo décide maintenant de s'endormir immédiatement pour être très vite à demain.

Avant de téléphoner à la bibliothèque, Momo court jusqu'à la butte pour voir si monsieur Édouard s'y trouve. Son ami n'y est pas. Ça fait quatre jours maintenant qu'il ne l'a pas vu. Momo, le cœur plein d'espoir, décide de l'attendre un peu. En vain. Il retourne alors à la maison et compose le numéro de téléphone de la bibliothèque.

– Bonjour… dit une voix de dame.

– Bonjour, madame, fait Momo.

– Vous êtes en communication avec la bibliothèque municipale…

Momo laisse la dame parler, car il sait qu'il n'est pas poli d'interrompre les gens, surtout quand on est un enfant.

– Si vous voulez connaître nos horaires d'ouverture, poursuit la voix, tapez 1, pour les conditions d'inscription, tapez 2…

Momo s'impatiente. Il est obligé d'interrompre la dame :

– Excusez-moi, madame, mais moi je veux juste le numéro de téléphone de Souad du bibliobus !

– Pour prolonger un prêt, tapez 3, continue la voix, qui ne l'écoute même pas.

Alors qu'il s'apprête à reposer sa question pour la troisième fois, la dame reprend tout depuis le début.

– Vous êtes en communication…

– Elle me prend pour un débile ou quoi? crie alors Momo, excédé, lui qui pourtant ne s'énerve que très rarement.

Sa colère est si surprenante que le silence s'est fait dans la pièce et tous le regardent. Le père, Mamadou, Boubakar qui interrompent leur partie, Ahmed qui sort de sa chambre, Yasmina qui quitte son roman-photo, et Rachid et Rachida qui en abandonnent leurs ciseaux à confettis.

– Qu'est-ce qui t'arrive, Momo? demande enfin Yasmina, très inquiète devant les joues en feu de son petit frère.

– La dame au téléphone veut pas me donner le numéro de Souad du bibliobus, bredouille Momo, gêné d'avoir attiré tous les regards sur lui.

– Fais voir! dit Yasmina, lui prenant le combiné des mains et s'apprêtant à incendier la bonne femme qui embête son petit frère.

Mais, au bout de quelques secondes, Yasmina sourit, puis glousse, puis pouffe, puis éclate de rire en raccrochant.

– Mon pauvre Momo! s'exclame-t-elle en ne cessant de rire, c'était un répondeur, pas une dame, que tu avais en ligne. Une bande enregistrée qui dit pareil toute la journée.

Momo n'a jamais éprouvé plus grande humiliation que celle-là. Il reste planté au beau milieu de la pièce, les poings serrés, la bouche sèche et les yeux douloureux à force de retenir ses larmes, tandis que fusent les rires et quolibets de ses frères et sœurs. Il n'y a que le père qui ne rie pas. Depuis qu'il a eu son accident, il n'a plus jamais parlé au téléphone, alors il n'a pas compris ce qui s'est passé et pourquoi il faut rire. Mais Boubakar et Mamadou rient comme des bossus et ça, ça ne lui plaît pas du tout, au père, qui voit combien son Momo a du chagrin.

– Silence ! hurle-t-il en jetant ses cartes. Personne y rit ici de Momo. Tous dehors !

Et tandis que tout le monde le regarde interloqué, le père se lève, se dirige vers Momo et, sortant de sa poche un billet de dix euros, il le glisse au creux de la main de son fils et lui dit :

– Va, mon fils ! Va acheter des livres et écoute pas les imbéciles qui rient de toi ! Un jour, plus personne ne rira de Mohammed Beldaraoui !

Puis il lui dépose un baiser sur le front. C'est la première fois qu'il manifeste le moindre geste de tendresse envers l'un de ses enfants. D'habitude, le père, il ne dit rien, il ne se mêle de rien et tout le monde croit que c'est à cause de l'accident qu'il a perdu la tête. Momo, lui, comprend à présent que son père, il a toute sa tête bien accrochée sur ses épaules. Quand on est un homme, on a sa fierté, et comme le père ne peut plus travailler à cause de son dos, alors il a préféré se taire à jamais.

Momo regarde son billet de dix euros. Jamais il n'a eu autant d'argent. Il le glisse dans sa poche tout en se demandant combien de livres il pourra acheter.

Pour le moment, il a autre chose en tête. Il veut voir monsieur Édouard à tout prix. Il retourne à la butte.

Alors qu'il est assis tout seul sur leur banc, il entend une voix dans son dos lui demander :

– Tu permets que je te tienne compagnie, un instant ?

Avant même de se retourner, Momo a reconnu la voix de Souad. C'est comme un miracle qu'elle

soit là juste au moment où Momo avait si terriblement besoin de la voir.

– Je suis en congé, aujourd'hui, et je me suis
dit que j'aimerais bien passer un peu de temps
avec toi.

– Monsieur Édouard n'est pas venu, dit Momo
en soupirant.

– Non, Momo, il n'est pas venu parce qu'il est
parti en vacances avec sa famille. Il ne rentrera
que la semaine prochaine.

– Mais, il m'a rien dit! Il m'a même pas dit au
revoir! dit Momo, au bord des larmes.

– Parce qu'il n'y aura pas pensé, tout simple-
ment. Tu te plaignais que les familles abandonnent
les vieux! Sa famille ne l'a pas du tout abandonné
puisqu'elle l'a emmené en vacances. Tu devrais te
réjouir pour ton ami. Il est avec les siens. Sa fille,
son gendre, ses petits-enfants. Il est heureux, là.

Momo baisse la tête. Il a un peu honte d'être
égoïste. Bien sûr qu'il devrait être content pour
monsieur Édouard! Alors, pourquoi est-il si malheureux qu'il a envie d'éclater en sanglots?

– Comment tu sais tout ça? demande-t-il alors
à Souad.

La jeune fille prend les deux mains de Momo dans les siennes.

– Parce que j'ai vu que tu étais malheureux de ne plus le voir. Alors, j'ai appelé la sœur de ma copine qui travaille aux Belles Feuilles et je lui ai demandé des nouvelles de monsieur Édouard. Voilà !

Momo est très ému que Souad ait fait tout ça pour lui.

– Viens, lui dit-elle, nous allons marcher un peu tous les deux, j'ai autre chose à te dire.

9

— **M**omo, lui dit Souad d'un air triste, tout en marchant à côté de lui en lui donnant la main, comme si elle était son amoureuse, il faut que je t'explique quelque chose. J'ai parlé de monsieur Édouard à la sœur de mon amie. Elle le connaît bien et dit que c'est un très gentil monsieur. Si sa famille a été obligée de le placer aux Belles Feuilles, ce n'est pas parce qu'elle voulait se débarrasser de lui, comme tu le penses, mais parce qu'il est malade et qu'elle n'arrivait plus à s'en occuper.

– Qu'est-ce qu'il a comme maladie? demande Momo soudain très inquiet.

– La maladie d'Alzheimer, répond Souad.

Momo trouve que les maladies ont toujours de très vilains noms.

– Et qu'est-ce qu'elle fait, cette maladie ? demande-t-il encore.

– C'est une terrible maladie, Momo, qui fait perdre la mémoire. Peu à peu, les gens qui en souffrent oublient des morceaux entiers de leur vie, ne reconnaissent plus leurs proches et finissent par ne plus se reconnaître eux-mêmes. Il faut tout le temps les surveiller car s'ils sortent seuls, ils sont incapables de retrouver leur chemin ni de donner leur adresse.

– Monsieur Édouard n'est pas comme ça ! crie Momo, très en colère. Il sait qui il est et il sait qui je suis et quand il se sauve, il sait toujours revenir tout seul aux Belles Feuilles.

– C'est parce qu'il y a des moments où il se sent bien, Momo. Quand il ne vient pas, c'est qu'il ne se souvient pas de toi. Ses pertes de mémoire sont passagères, mais de plus en plus longues et de plus en plus fréquentes.

– Comme madame Rosa ?

– Oui, un peu comme madame Rosa.

– Et il va mourir comme elle ?

– Tout le monde finit par mourir un jour, Momo. Monsieur Édouard a quatre-vingt-deux ans. Ce n'est plus un jeune homme.

Momo reste silencieux. Il en veut à Souad de lui avoir dit tout ça. Il aurait préféré ne pas savoir. Elle aurait dû garder ce secret-là pour elle. Puis il se dit que ses pensées sont injustes. Que Souad ne voulait pas lui faire de la peine mais le traiter comme un grand garçon. Et s'il est malade, monsieur Édouard va avoir besoin de lui. Ce n'est pas le moment de pleurnicher. Madame Rosa aussi avait eu besoin de l'aide de son Momo.

Alors Momo essaie de prendre sur lui et c'est d'une voix qui ne tremble plus qu'il dit :

– Souad, quand monsieur Édouard reviendra de vacances, je voudrais aller le voir dans sa résidence. Tu peux m'aider ?

Souad rit comme il aime, en renversant sa tête en arrière et en montrant toutes ses dents blanches qui n'ont aucun trou noir. Ils font alors demi-tour et se dirigent ensemble vers les Belles Feuilles. En apercevant Momo, le gardien fronce les sourcils mais, comme il est accompagné par Souad, il ne peut pas le chasser comme il en a l'habitude. D'autant que Souad ne se gêne pas pour lui lancer :

– Nous allons voir Corinne à l'accueil et sachez que j'ai obtenu l'autorisation du directeur pour que Mohammed puisse rendre visite à monsieur Édouard aussi souvent qu'il le voudra.

Momo n'est pas sûr que Souad ait vraiment obtenu l'autorisation de monsieur le directeur mais il sait qu'elle l'obtiendra et il est content que Souad lui ait cloué le bec, à celui-là.

Ils remontent tous deux la longue allée bordée de fleurs multicolores pour rendre moins triste la vie des personnes âgées et arrivent à l'accueil. C'est là que travaille la sœur de l'amie de Souad. Elles s'embrassent.

– Corinne, je te présente Momo, lui dit Souad. C'est le petit garçon dont je t'ai parlé.

– Enchantée, Momo ! lui dit Corinne. C'est donc toi l'ami de monsieur Édouard ?

Momo, intimidé, acquiesce d'un signe de tête.

– Venez, je vais vous montrer sa chambre ! leur dit-elle en passant devant. Il est en vacances mais comme ça, tu sauras où le trouver quand tu viendras.

Dans le couloir aux murs joliment peints de couleurs pastel, Momo croise plein de personnes très âgées. Et certaines, qui faisaient partie des peintres, le reconnaissent et lui adressent un petit clin d'œil complice. «Les personnes âgées, c'est mieux que les filles, pense Momo, elles savent garder un secret.»

Corinne s'arrête devant une chambre qui porte le numéro 107.

– Voilà, c'est ici! leur dit-elle.

Momo trouve la chambre de monsieur Édouard très jolie avec ses livres partout et son balcon plein de fleurs. Le voilà rassuré. Les Belles Feuilles, ce n'est ni l'hôpital ni l'asile. Souad avait raison. Momo n'a plus qu'une hâte à présent: être à la semaine prochaine et retrouver son ami.

Le lundi suivant, Momo s'est levé de très bonne heure. Il a pris une douche, s'est lavé les cheveux et a mis sa nouvelle chemise de rentrée des classes et son nouveau pantalon que Fatima lui a offerts.

– Qu'il est beau, mon fils! s'écrie sa mère, très fière de son Momo.

– Mais Momo, s'esclaffe Fatima, c'est pas aujourd'hui la rentrée des classes! Tu te trompes d'une semaine!

– Je sais, réplique Momo, mais je dois rendre visite à quelqu'un.

Fatima et la mère se regardent en gloussant. Elles pensent sans doute que Momo a une amoureuse. Mais il s'en fiche de ce qu'elles pensent.

Après avoir déjeuné, il quitte la cité et se rend aux Belles Feuilles. Il trouve la porte fermée. Le gardien, caché derrière une petite fenêtre grillagée, lui crie :

– Eh! T'es tombé de ton lit? Les visites, c'est pas avant dix heures!

Momo sait qu'il était à peine huit heures lorsqu'il est sorti de chez lui. Il va donc devoir attendre encore deux bonnes heures avant de voir son ami. Il retourne alors à la butte. Heureusement qu'il a toujours un livre sur lui. C'est Souad qui lui dit ce qu'il doit lire depuis qu'il a terminé la liste de madame la directrice.

Momo sait où se trouvera le soleil quand il sera dix heures. Il se plonge donc dans sa lecture. C'est alors que surgit soudain monsieur Édouard.

Momo n'en croit pas ses yeux. Mais par où il passe pour se sauver des Belles Feuilles alors que la grande porte est encore fermée?

– Et que lit Son Altesse Sérénissime, ce matin? lui demande monsieur Édouard comme s'ils s'étaient quittés la veille.

Momo remarque que monsieur Édouard a bonne mine et qu'il fait moins vieux que d'habitude. Peut-être que le bon air l'aura guéri?

– Monsieur Édouard, comme je suis content de vous revoir! lui dit Momo en lui sautant au cou. Avez-vous passé de bonnes vacances?

– Vacances? Quelles vacances? s'étonne son ami.

Momo comprend alors que Souad a dit vrai et que monsieur Édouard est encore malade.

C'est d'ailleurs la dernière fois que Momo le revoit à la butte. Il ne revient pas le lendemain, ni même le surlendemain.

Alors, Momo va lui rendre visite aux Belles Feuilles.

Cette fois, le gardien le laisse entrer sans problème, et Corinne l'accueille avec gentillesse.

– Viens, suis-moi ! lui dit-elle. Mais il ne va pas très bien ce matin. Ne t'étonne pas s'il a des absences.

Des absences ? s'étonne Momo. Ne vient-elle pas de lui dire que monsieur Édouard est là ?

Elle frappe discrètement à la porte 107 et l'entrouvre.

– Monsieur Édouard, vous avez de la visite ! lui annonce-t-elle doucement.

Monsieur Édouard, assis au balcon, lit un livre et ne tourne pas la tête.

Corinne s'efface pour laisser entrer Momo.

– Bonjour, Grand Chambellan ! murmure doucement Momo, le cœur serré en voyant que son ami semble plus vieux que la veille.

– Est-ce vous, Votre Altesse ? s'écrie alors monsieur Édouard en se retournant, et Momo voit bien dans ses yeux comme il est heureux de le voir.

– Je m'inquiétais pour vous, fait Momo.

– Je te laisse, dit Corinne. S'il y a le moindre problème, tu sonnes là !

Elle lui indique une sonnette à la tête du lit.

Momo prend un tabouret et s'assied sur le balcon, à côté de son ami qui semble fatigué et reste silencieux.

– Voulez-vous aller faire un tour dans le parc? lui propose Momo.

– Volontiers, Votre Altesse, lui répond monsieur Édouard, ce qui prouve bien qu'il a encore toute sa tête.

Momo l'aide à se lever en lui tenant le bras. En remettant le tabouret à sa place, il voit une photo de monsieur Édouard un peu plus jeune, entouré, sans doute, de sa famille.

– C'est votre famille? demande-t-il à monsieur Édouard.

– Quelle famille? s'étonne celui-ci.

Corinne a dit qu'ils peuvent aller se promener dans le parc mais qu'il vaut mieux prendre un fauteuil roulant pour monsieur Édouard. Et Momo pousse le fauteuil entre les allées fleuries tandis que monsieur Édouard lui parle de littérature et de plein d'autres choses qui se sont passées en d'autres temps que Momo n'a jamais connus. Et pour qu'il retrouve toute sa mémoire et qu'il la garde pour toujours, Momo lui pose sans arrêt les mêmes questions, jusqu'à ce que monsieur Édouard se souvienne de tout, de sa famille, de ses petits-enfants et de ses vacances. «Il n'y a que comme ça que monsieur Édouard pourra vivre longtemps», se dit Momo.

10

Momo a dû reprendre le chemin de l'école. Pourtant, dès qu'il sort du collège, il court aux Belles Feuilles rendre visite à monsieur Édouard.

Il y fait ses devoirs et apprend ses leçons, que son ami lui demande de réciter. Puis Momo fait travailler sa mémoire à monsieur Édouard. Ils jouent beaucoup aux échecs aussi, mais monsieur Édouard se fatigue vite et il est rare qu'ils puissent aller au bout d'une partie. Il arrive de plus en plus souvent que monsieur Édouard ait des absences dans sa tête. Son corps est là, mais pas son esprit, alors Momo reste à côté de lui et lui tient la main.

Un jour, le docteur est passé et a longuement parlé avec Momo de la maladie d'Alzheimer. Il a sans doute cru que Momo était de la famille de monsieur Édouard. Même s'il n'est pas vraiment de sa famille, Momo pense que monsieur Édouard est son meilleur ami et qu'un ami c'est parfois plus important que la famille, parce que la famille, elle est déjà toute faite quand on arrive et on ne peut pas la choisir, tandis qu'un ami, on prend vraiment celui dont on a envie. Monsieur Édouard est le tout premier ami de Momo. Bien qu'il ait déjà onze ans, Momo n'a jamais eu d'ami. Faut dire qu'il n'a jamais fait d'efforts, non plus, parce qu'il ne s'ennuie jamais tout seul, Momo, entre ses livres et son île déserte.

C'est vrai que c'est monsieur Édouard qui a choisi Momo comme meilleur ami. Momo n'a rien fait pour cela, mais n'empêche que, depuis sa maladie, il se sent responsable de lui, comme le petit prince était responsable de sa rose qui n'avait que quatre épines pour se défendre. Aussi, quand le médecin est venu pour lui parler de la maladie de monsieur Édouard qu'il croyait être de sa famille, Momo l'a écouté de manière très attentive afin de bien comprendre tous les mots parce que bien souvent les mots des docteurs sont totalement incompréhensibles.

– C'est une maladie évolutive qui attaque le cerveau, lui a-t-il expliqué. Il n'existe pour l'instant aucun médicament qui puisse la traiter, mais la médecine fait de grands progrès et on pense trouver des remèdes d'ici une dizaine d'années.

Une dizaine d'années, pour Momo, c'est aussi long qu'un siècle.

– Est-ce que monsieur Édouard pourra attendre encore une dizaine d'années? a demandé Momo, le cœur plein d'espoir.

– Non, mon petit, lui a répondu le médecin en lui passant la main dans les cheveux. Je ne le pense pas. Il est trop âgé et son organisme est fatigué.

Momo a préféré ne pas poser d'autres questions. Il pense qu'il y a des fois où il vaut mieux ne pas savoir la vérité parce que sinon on y pense tout le temps et ça fait très mal. Il espère aussi et de tout son cœur que monsieur Édouard ne sait pas la vérité sur son état et sa maladie au nom étrange dont il n'arrive pas à se souvenir.

Un samedi après-midi, lorsque Momo arrive aux Belles Feuilles, il y a dans la chambre de monsieur Édouard plein de gens qu'il ne connaît pas.

Alors Momo n'ose pas entrer et il repart tête basse vers la butte, où il reste tout seul avec son chagrin tout l'après-midi. Il pense qu'il a bien fait de ne pas entrer, car tous ces gens font probablement partie de la famille de monsieur Édouard et que c'est très gentil qu'ils lui rendent visite, comme ça monsieur Édouard sait qu'il est aimé de beaucoup d'affection des siens, mais Momo ne peut pas s'empêcher d'être un peu jaloux. Il n'a pas envie de partager son ami avec d'autres gens. Surtout des gens qu'il ne connaît pas !

Le lendemain, dimanche, Momo retourne aux Belles Feuilles. Monsieur Édouard est seul cette fois et Momo s'en réjouit.

– Bonjour, monsieur Édouard ! lance Momo d'un ton joyeux ainsi qu'il le fait chaque fois pour que monsieur Édouard ne sache pas qu'il est malade.

Mais monsieur Édouard ne répond pas. Il est assis sur son fauteuil, sur le balcon. Son livre est posé sur ses genoux mais monsieur Édouard ne le lit pas. Et dans ses yeux, Momo lit l'absence. Monsieur Édouard a les yeux vides. Momo sait que, quand il est comme ça, il faut rester à côté de lui et attendre qu'il revienne. Parfois, ça dure un peu, parfois ça dure plus. Momo est patient et il attend en caressant la main tavelée de son ami. Aujourd'hui, monsieur Édouard met beaucoup plus de temps que d'habitude à revenir. Et il semble encore avoir vieilli par rapport à avant-hier. De temps en temps, il laisse échapper un filet de salive qui se met à couler le long de son menton, qui tremble légèrement. Momo lui essuie alors la bouche. Il finit par trouver le temps long. Alors, il pousse sur le bouton de la sonnette qui se trouve au-dessus du lit.

Une infirmière arrive.

– Que se passe-t-il ? demande-t-elle à Momo.

– Monsieur Édouard va pas bien.

– Je sais, répond l'infirmière, il est comme ça depuis ce matin. Hier, sa famille est venue lui rendre visite et il semblait se porter comme un charme. Et aujourd'hui, plus rien. C'est ce qui est terrible avec cette fichue maladie !

– Maladie ? Qui est malade ? questionne alors monsieur Édouard, enfin revenu. Sa Majesté n'est pas souffrante, au moins ?

L'infirmière sourit et laisse Momo et monsieur Édouard en tête à tête.

– J'ai envie de rillettes, dit-il à Momo. J'ai vraiment envie d'un sandwich aux rillettes.

Et une larme s'échappe. Une larme qu'il n'a même pas sentie et qu'il laisse couler le long de sa joue.

– Bougez pas! s'écrie Momo. Je reviens.

Fort heureusement, Corinne est de service ce dimanche.

– Monsieur Édouard veut un sandwich aux rillettes! déclare-t-il.

– Monsieur Édouard est capricieux! réplique Corinne.

– Non, il veut vraiment un sandwich aux rillettes. Il adore ça et ici on lui en donne jamais.

– Tu as des sous? demande Corinne.

Momo allait répondre que non, mais il se souvient de son billet de dix euros que lui a donné son père et qu'il conserve précieusement pour s'acheter des livres.

– Oui, j'ai des sous, répond-il.

– Alors, file à la cafétéria! Celle qui est au rez-de-chaussée. Peut-être qu'ils en auront.

– Je voudrais un sandwich aux rillettes, s'il vous plaît, commande-t-il au serveur qui porte un petit chapeau blanc sur la tête et un grand tablier à bretelles. Il le connaît, lui! C'est Mouloud, un copain d'Ahmed, un qui a eu son CAP et travaille.

– On mange pas de ça, nous! C'est hallouf! C'est du cochon! lui dit alors le type à voix basse pour pas être entendu. T'as pas honte! Je vais le dire à ton frère! Bonjour la raclée que tu vas prendre!

– Mais c'est pas pour moi, c'est pour monsieur Édouard!

– T'es sûr, hein? C'est péché, sinon! Bon, je vais te le faire, ton sandwich!

Enfin, le voilà qui revient avec son sandwich aux rillettes. Mais monsieur Édouard est reparti. Il ne reviendra pas aujourd'hui. Et Momo reste pratiquement toute la journée assis à côté de lui, espérant qu'il va au moins revenir un peu, le temps de manger son sandwich aux rillettes et d'avoir un grand bonheur.

11

Aujourd'hui, Momo n'a pas la tête aux études. Il est inquiet pour monsieur Édouard. Il voudrait déjà être le soir pour lui rendre visite.

Il espère que peut-être, hier, après son départ, monsieur Édouard sera revenu et aura eu le temps de manger son sandwich. Par chance, il finit plus tôt que prévu car la prof d'anglais est absente pour cause de maladie. Momo ne lui veut aucun mal, à la prof d'anglais, qu'il aime bien, mais il est rudement content qu'elle soit malade, comme ça, il pourra passer une heure de plus avec monsieur Édouard.

C'est en courant que Momo se rend aux Belles Feuilles. Il ne passe même pas chez lui pour déposer son cartable et file directement à la maison de retraite. Quand il arrive essoufflé dans le hall, Corinne se lève brusquement, va vers lui et le prend par la main. C'est alors qu'il remarque que Souad est là aussi, alors que d'habitude, le lundi, elle travaille au bibliobus. Souad le regarde d'une manière bizarre. Plus bizarre encore que la fois où elle lui a expliqué que monsieur Édouard était malade.

– T'es venue voir monsieur Édouard? lui demande Momo. Tu sais, il va pas très bien en ce moment. Il a de plus en plus d'absences. Mais je lui fais travailler sa mémoire. Je lui fais réciter les fables de La Fontaine. Il les connaît toutes par cœur, même celles que personne connaît, et il se trompe jamais.

Momo parle et parle parce qu'il sent que quelque chose est arrivé à monsieur Édouard et que c'est pour ça que Souad est là. Mais il ne veut pas savoir. Il est prêt à se boucher les oreilles, d'ailleurs. Et c'est ce qu'il fait en regardant Souad, qui le traîne par le bras jusqu'à un banc dans le parc de la maison de retraite. Elle le fait asseoir à côté d'elle et lui enlève de force les deux mains qu'il refuse de détacher de ses oreilles.

– Mohammed! crie-t-elle alors en utilisant son nom en entier. Écoute-moi! Il faut que tu m'écoutes!

Momo sait qu'il se conduit comme un petit garçon. Il a honte de sa faiblesse devant une fille, même si c'est Souad et que ce n'est pas une fille comme les autres. Il retire alors ses mains, qu'il pose sur ses genoux, et attend.

– Momo… dit Souad, monsieur Édouard nous a quittés cette nuit.

Souad a dit: «nous a quittés». Elle n'a pas dit qu'il est mort.

– Pour où? demande Momo.

– Pour l'éternité, répond Souad en libérant les larmes prisonnières dans ses yeux.

Momo a compris. Monsieur Édouard est parti pour toujours. Il se lève et remonte l'allée en courant si vite que Souad n'arrive pas à le rattraper. Il arrive dans le hall de la maison de retraite et, sans laisser cette fois le temps à Corinne de l'intercepter, il se précipite vers la chambre 107.

La porte est ouverte et deux femmes sont en train de faire le ménage. Il ne reste rien des affaires de monsieur Édouard. Juste le sandwich aux rillettes qu'une des deux femmes prend et jette dans une poubelle.

Momo tourne le dos à la pièce et quitte la maison de retraite en courant. Il ne veut pas voir Souad, il ne veut voir personne. Il retourne sur la butte, s'allonge sur son banc et part sur son île. Ça fait très longtemps qu'il n'y est pas retourné. Depuis qu'il connaît monsieur Édouard, en fait.

Quelques jours plus tard, environ une semaine, quelqu'un frappe le soir à la porte.

– *Chkoun*? Qui c'est? dit la mère.

– J'y vais! lance Yasmina.

C'est une belle dame avec des cheveux roux et un tailleur vert de la même couleur que ses yeux.

– Est-ce bien ici qu'habite Momo? interroge-t-elle.

– Momo! C'est pour toi! crie Yasmina.

Momo reconnaît la dame. C'est celle qu'il y avait sur la photo dans la chambre de monsieur Édouard.

– C'est toi, Momo? lui demande-t-elle, sans doute pour être sûre qu'elle ne se trompe pas de personne.

Momo opine de la tête et referme la porte derrière lui. Il ne veut pas que les autres entendent.

– Voilà, lui dit-elle, je suis la fille de monsieur Édouard. Avant de mourir, alors qu'il allait encore à peu près bien, il m'avait dicté quelques mots à ton intention. Je suis venue te les remettre. Il t'a fait don des livres qu'il préférait. Il y en a deux caisses que je te ferai livrer bientôt. Je voulais aussi te dire que tu as été le bonheur de la fin de sa vie et je t'en remercie. Il tenait à ce que tu le saches.

En disant ça, la dame écrase une larme qui lui a échappé, dépose un baiser sur le front de Momo et disparaît, laissant derrière elle un nuage de parfum sucré. Momo regarde l'enveloppe où il est inscrit : *Momo, petit prince des Bleuets.*

La lettre de monsieur Édouard est gaie et pleine de soleil. Il demande à Momo de ne surtout pas pleurer car il sera toujours là pour veiller sur lui.

Le lendemain, le prof de français leur donne un sujet de rédac sur l'amitié. Momo écrit quatre pages d'une traite et raconte l'histoire de monsieur Édouard.

Quand le prof rend les copies, il garde celle de Momo pour la fin.

– Mohammed Beldaraoui, dix-huit! lui dit-il. Excellent travail! Si tu le veux bien, je vais lire ta rédaction devant toute la classe.

Momo est tout rouge et garde la tête baissée tout au long de la lecture. Les élèves écoutent en retenant leur souffle. On entend même quelques reniflements.

À la fin du cours, Émilie, une fille qui est toujours première en français et que Momo trouve très jolie, s'approche de lui.

– J'ai beaucoup aimé ta rédaction, lui dit-elle. Je pourrai m'asseoir à côté de toi? Moi, plus tard, je voudrais être écrivain, et toi?

– Moi aussi, répond Momo, écrivain français.

Du même auteur

Aux éditions Syros:

Un arbre pour Marie, coll. «Tempo», 2003

Momo des Coquelicots, coll. «Tempo», 2010

Des lauriers pour Momo, coll. «Tempo», 2012

La Fille qui n'aimait pas les fins, avec Matt7ieu Radenac, coll. «Tempo», 2013

L'Usine, coll. «Tempo», 2015

Comment on écrit des histoires?, avec Roland Fuentès, hors-série «Tempo», 2015

Quatre de cœur, avec Matt7ieu Radenac, coll. «Tempo», 2016

Chez d'autres éditeurs:

Un grand-père tombé du ciel, Casterman, 1997

La promesse, Père Castor-Flammarion, 1999

Le professeur de musique, Casterman 2000

Hé, petite!, La Martinière, 2003

L'ami, Casterman, 2003

Tant que la terre pleurera, Casterman, 2004

La bonne couleur, Casterman, 2006

J'ai fui l'Allemagne nazie, Gallimard, 2007

Suivez-moi-jeune-homme, Casterman, 2007

Une grand-mère comment ça aime?, La Martinière, 2008

Albert le toubab, Casterman, 2008

Le garçon qui détestait le chocolat, Oskar, 2009

Libérer Rabia, Casterman, 2010

Rue Stendhal, Casterman, 2011

L'auteur

Yaël Hassan est née en 1952 à Paris. Après avoir passé son enfance en Belgique, son adolescence en France, puis une dizaine d'années en Israël, elle revient s'installer en France. Victime d'un accident de voiture, elle mettra à profit le temps de son immobilisation pour écrire son premier roman, *Un grand-père tombé du ciel* (Casterman, 1997), qui sera suivi d'une quarantaine d'autres romans pour la jeunesse.

Retrouvez d'autres aventures
de Momo dans :

Momo des Coquelicots
Yaël Hassan

Momo est maintenant en sixième. Il rêve toujours de devenir écrivain, si bien qu'il a décidé d'apprendre par cœur tous les mots du dictionnaire ! Mais surtout, pour la première fois, il a une amie, Émilie, qui aime lire et écrire comme lui. À la maison, en revanche, Momo a beaucoup de soucis : son père est gravement malade et Ahmed, son grand frère, devient de plus en plus autoritaire. Heureusement, bien au chaud au creux de la mémoire du petit Momo, monsieur Édouard continue de veiller sur lui...

Des lauriers pour Momo
Yaël Hassan

Remarqué pour son sérieux et ses résultats scolaires, Momo est admis dans un internat d'excellence qui vient d'ouvrir ses portes. Il est inquiet, bien sûr, à l'idée de quitter sa famille si vivante et soudée. Mais se retrouver seul face à l'inconnu, changer d'univers, d'habitudes... voilà qui est terriblement tentant ! Alors Momo fait sa valise, emportant avec lui ce qu'il a de plus précieux : les livres de monsieur Édouard et son journal intime. Sur place, il remarque bien vite plusieurs garçons qui pourraient devenir les amis qu'il n'a jamais eus...

Dans la collection
tempo

Dans la collection
tempo+

Loi n° 49-956 du 16 juillet 1949
sur les publications destinées à la jeunesse,
modifiée par la loi n° 2011-525 du 17 mai 2011.

Mise en pages : DV Arts Graphiques à La Rochelle
N° d'éditeur : 10229221 – Dépôt légal : septembre 2013
Achevé d'imprimer en septembre 2016
par Jouve (53100, Mayenne, France).
N° 2427684S